Fleur Humeur
redt de wereld

Wereld-
verbeteraar

Megan McDonald

Met tekeningen van

Peter Reynolds

Lees ook de andere boeken over Fleur Humeur:
Fleur Humeur
Fleur Humeur wordt beroemd

NEDERLANDSE
KINDERJURY
2005

ISBN 90 269 9779 5
NUR 282

Oorspronkelijke titel: Judy Moody saves the world!
Oorspronkelijke uitgave: Walker Books Limited, Londen SE11 5HJ
Tekst © 2002 Megan McDonald
Illustraties © 2002 Peter H. Reynolds
Judy Moody Font © 2001 Peter H. Reynolds

© 2003 Nederlandstalige uitgave:
Uitgeverij Van Holkema & Warendorf,
Unieboek BV, Postbus 97, 3990 DB Houten
www.unieboek.nl

Vertaling: Resia Rozenberg-Koning
Vormgeving omslag: Petra Gerritsen
Zetwerk: ZetSpiegel, Best

Voor Richard
M.M.
Voor alle bibliothecarissen en
bibliothecaressen die geloven
dat een goed boek de wereld
kan redden!
P.R.

Inhoud

De fantasiepleister-wedstrijd 11

Dol op bananenschillen 26

Een meneer-Vuilnis-bui 37

Varkenspootmosselen, poema's
en zoetwatermosselen 54

Kever-alarm 67

Viezigheid in de vijver 76

Luna Twee 90

Dol op pleisters 107

Potloodproject 119

Flessen verzamelen 134

De knipoogziekte 140

Fleur

De heldin en afvaldeskundige,
beroemd om haar wisselende
buien.

Mam

Moeder van Fleur,
heeft een lesje recycling
nodig.

Wie is

Pap

Vader van Fleur,
houdt erg van koffiebone
uit het regenwoud.

Rutger

Jongere broer van Fleur,
gek op vleermuizen en Kwaak,
de kikker.

Muis

Poes van Fleur,
dol op bananen.

wie?

Ricky

Beste vriend van Fleur zolang ze zich kan herinneren, zit achter de Shenandoah-salamander aan.

Kwaak

Bedreigde KP-clubmascotte.

Meester Kokker

Meester van Fleur, leider van het ecosysteem in groep 5B.

Frank

Vriendje van Fleur, verzamelt postzegels en weet veel van mosselen.

Femke

Klasgenootje van Fleur, gek op pot-loden en varkens.

De fantasiepleister-
wedstrijd

Fleur Humeur was helemaal niet van plan om de wereld te redden. Ze was van plan om een wedstrijd te winnen. Een pleister-wedstrijd.

Fleur klikte haar dokterskoffer open. Waar was dat doosje met fantasiepleisters? Ze haalde het hamertje uit de koffer waarmee ze reflexen kon testen.

'Hé, mag ik hem even proberen?' vroeg Rutger, terwijl hij de kamer van Fleur binnenstapte.

'Rufter, heb je nooit van "klop, klop" gehoord?'

'Natuurlijk wel,' zei Rutger. 'Wie is daar?'

'Ik bedoel niet die grap,' zei Fleur. 'Ik bedoel wat kleine broertjes moeten doen voordat ze de kamer van hun grote zus binnenlopen.'

'Bedoel je dat ik je eerst een mop moet vertellen voordat ik je kamer binnenkom?' vroeg Rutger.

'Laat maar zitten,' zei Fleur.

'Laat wie maar zitten?' vroeg Rutger.

'Rufter! Ga op het bed zitten met je benen over elkaar,' zei Fleur. 'Ik ga je reflexen testen.'

'Nee hè, je gaat toch geen doktertje spelen?' zei Rutger.

'Toe nou, Rufter.' Fleur klopte met haar hamer op de knie van Rutger. Rutgers voet schoot vooruit tegen haar been.

'Hé,' riep Fleur. 'Je schopte me! Wie denk je wel dat je bent, een kasuaris?'

'Een kassie-wat?'

'Kasuaris, een loopvogel. Dat heb ik bij biologie geleerd. Het is een vogel die in het regenwoud leeft en niet kan vliegen. Daarom schopt hij zijn vijanden.'

'Nou, ik ben geen kassievogel,' zei Rutger. 'Ik heb gewoon goede reflexen.'

Fleur wierp Rutger haar meest valse slangenblik toe. 'Laat maar zitten,' zei ze terwijl ze de hamer opborg.

Rutger stak zijn hand in de dokterskoffer van Fleur en pakte de fantasiepleisters.

'Rufter! Hoe vaak heb ik je al gezegd van mijn fantasiepleisters af te blijven. Dit doosje is trouwens leeg, ze zijn op. Ik heb je gewaarschuwd dat ik je arm in een mitella bind als je mijn spullen blijft stelen.'

Rutger wilde geen mitella om zijn arm. Zeker niet als zijn arm niet gebroken was.

'Geef eens hier,' zei Fleur terwijl ze het doosje uit Rutgers handen pakte. 'Ik wil wat weten over de wedstrijd.'

'Wedstrijd?' vroeg Rutger. 'Wat moeten we doen?'

Fleur las de tekst op het doosje.

Fantasiepleisters bestaan 5 jaar
Doe mee met de wedstrijd.

Ontwerp je eigen fantasiepleister.
Gebruik potloden, kleurkrijt of
viltstiften.
Bedenk een thema!
Leef je uit!
Doe eens gek! Wees jezelf!

'Bedoel je dat we iets moeten tekenen wat op een pleister komt?' vroeg Rutger. 'Wat kunnen we winnen?'

Fleur las verder:

> De dertien mooiste ontwerpen zullen op de fantasiepleisters afgedrukt worden. Stel je voor – misschien zullen kinderen in het hele land straks JOUW creatieve, kleurrijke fantasiepleister dragen.

'Is dat alles?' vroeg Rutger.

'Zeldzaam!' zei Fleur. 'Ik, Fleur Humeur, zou mijn eigen fantasiepleister kunnen hebben.'

'Je moet toch ook iets kunnen winnen,' zei Rutger, terwijl hij het doosje uit Fleurs handen pakte.

'Stel je voor. In het hele land worden originele Fleur-Humeurpleisters op knieën, enkels en ellebogen geplakt. Zelfs Elizabeth Blackwell, de eerste vrouwelijke dokter, had niet haar eigen fantasiepleister.'

'Begin je weer?' zei Rutger. 'Zeg, voordat je té beroemd bent, mag ik jouw viltstiften lenen?'

'Waarvoor?' vroeg Fleur.

'Ik wil ook een fantasiepleister maken. Hier staat dat de hoofdprijs een paar skeelers is.'

'Skeelers? Laat eens zien!'

Hoofdprijs: *Fantasiepleister van het jaar*
Een paar skeelers en jouw ontwerp een jaar lang op de fantasiepleisters!

Troostprijs: *Fantasiepleister van de maand*
Een fantasiepleister-zonnebril en jouw ontwerp een maand lang op de fantasiepleisters!

Alle deelnemers ontvangen een certificaat
met een eervolle vermelding.

'Droom maar lekker verder, Rufter. Er is maar één kind dat een paar skeelers wint.'

'Dus?'

'Als je kijkt naar de kinderen die vorig jaar gewonnen hebben… die zijn tien of elf. Eentje is zelfs dertien. Dat is een tiener. Jij bent pas zeven.'

'Ik ben al zeven en een kwart,' zei Rutger.

'Je moet een soort Picasso zijn om je ontwerp te laten winnen,' zei Fleur.

'Wie?'

'Je weet wel. De man die allemaal blauwe mensen schilderde.'

'Mag ik dan jouw blauwe viltstift lenen?'

Fleur kieperde al haar viltstiften, kleur-krijtjes, kleurpotloden en pastelstiften op de grond. Rutger greep de eerste de beste blauwe viltstift en begon te tekenen.

'Wat ben je aan het tekenen?'

'Vleermuizen,' zei Rutger. 'Blauwe vleer-muizen.'

'Jij bent gek in je hoofd,' zei Fleur. 'Mensen houden helemaal niet van vleermuizen.'

'Vleermuizen eten miljoenen in-secten,' zei Rutger. 'Mensen zouden juist dol moeten zijn op vleermuizen.'

'Dat weet ik ook wel,' zei Fleur. 'Ik wil alleen maar zeggen dat je met vleermuizen geen enkele tiener verslaat.'

Rutger bleef toch maar vleermuizen te-kenen.

'Jouw vleermuizen hebben wel heel grote oren,' zei Fleur.

'Het zijn grootoorvleermuizen.'

'O,' zei Fleur.

Rutger leek net een echte kunstenaar, maar hij moest niet denken dat hij een genie was of zo. Fleur wilde iets bedenken wat net zo goed was als Picasso. Beter dan vieze, oude vleermuizen. Beter dan alle andere tieners. Zij wilde dat haar Fleur-Humeur-fantasiepleister overal te zien zou zijn. In de hele wereld. In het hele heel-al.

'Rufter, stop eens met piepen,' zei Fleur.

'Ik kan er niets aan doen, dat komt door de viltstiften.'

'Ik kan niet nadenken als jij zit te pie-pen,' zei Fleur. Ze bekeek de ontwerpen van

de winnaars op het doosje van vorig jaar. Ze
zag lieveheersbeestjes, bloemen, voetballen,
regenbogen en vredestekens. Blij, blij, blij.

Fleur dacht ook aan blije dingen om op haar fantasiepleisters te tekenen. Ze tekende lachende gezichten. Gele, rode, blauwe, groene en paarse gezichten. Daaronder schreef ze de tekst *fantasiepleisters genezen boze buien.*

'Iedereen tekent lachende gezichten,' zei Rutger.

'Wie dan?' vroeg Fleur.

'Yvonne uit mijn klas. En alle tieners.'

Rutger had gelijk. Lachende gezichten waren niet goed genoeg om op miljoenen enkels te plakken. Lachende gezichten waren niet goed genoeg om skeelers mee te winnen. Lachende gezichten waren geen Picasso. Fleur draaide haar tekening ondersteboven. De lachende gezichten werden boze-bui-gezichten.

'Niemand wil een pruilende fantasie-pleister,' zei Rutger.

'Grrom,' zei Fleur.

'Eigenlijk moet er een boodschap op de pleister,' zei Rutger, 'maar ik kan niets verzinnen over vleermuizen.'

'Wat vind je van *Dol op pleisters?*'

'Hé, die is goed,' zei Rutger. 'Bedankt!'

Rutger was al klaar met zijn fantasie-pleister en Fleur had nog steeds geen enkel idee. Geen enkele inspiratie.

'Oké, deze kan op de bus,' zei Rutger.

Frisse lucht! Dat was het! Misschien had-

den Fleurs hersens alleen maar wat ouder-
wetse zuurstof nodig.

Terwijl ze naar de brievenbus liepen,
vroeg Rutger: 'Denk je dat ik ga winnen?'

'Ben ik soms een kristallen bol?' vroeg
Fleur.

'Hoe lang denk je dat het duurt?' vroeg
Rutger, terwijl hij de envelop in de grote,
rode bus gooide.

'Langer dan één seconde,' zei Fleur.

Op weg naar huis ademde Fleur de frisse
lucht diep in.

'Je lijkt wel een goudvis in de wc,' zei Rutger.

Het had geen zin. De frisse lucht hielp
niet. Door de frisse lucht zag ze eruit als een
vis in de wc. De fantasiepleister van Rutger
was al op de post. Stel je voor dat Rutger de

wedstrijd zou winnen? En dat ze nooit meer op een goed idee zou komen? Fleur Humeur voelde een boze bui opkomen.

Dol op bananenschillen

De hele zaterdag en zondag kon Fleur geen enkel creatief, winnend fantasiepleister-ontwerp verzinnen. Op maandagmorgen vertelde ze haar beste vriend Ricky bij de bushalte over de wedstrijd. 'Heb jij een idee voor een ontwerp?'

'Ik weet al wat,' zei Ricky. 'Wat denk je van een verdwijnpleister? Je plakt er een op je arm, maar omdat de pleister doorzichtig is, kun je hem niet zien.'

'Zeldzaam!' zei Fleur. 'Een verdwijnpleister! Dat is een leuk idee!'

'Hoe kun je nu een wedstrijd winnen als

ze het ontwerp niet eens kunnen zien?'
vroeg Rutger.

'Daar zeg je wat,' zei Fleur, terwijl ze er-
over nadacht. 'Ik wil eigenlijk wel dat de
hele wereld mijn winnende Fleur Humeur-
ontwerp kan zíén.'

Op school popelde Fleur om Frank Parel te vragen of hij soms een goed idee had, maar de bel was al gegaan en ze wilde niet nóg een witte kaart omdat ze zat te praten. Ze had al een keer moeten nablijven omdat ze drie witte kaarten had gekregen. Toen had ze samen met meester Kokker het aquarium schoongemaakt. Ze had weinig zin om nog een keer die stinkende bak schoon te maken. Daarom schreef ze Frank een briefje over de wedstrijd. Onderaan schreef ze *P.S. NIET aan Femke Koning laten zien.*

'We beginnen met biologie,' zei meester Kokker. 'We gaan nog een keer praten over het milieu. Overal worden bomen in het regenwoud gekapt. Als je medicijnen slikt, met een bal stuitert of een ballon laat knappen, gebruik je iets uit het regenwoud. In ons land worden bomen gekapt om winkels te bouwen, verdwijnen diersoorten en hebben we haast geen ruimte meer om al ons afval kwijt te kunnen. Laten we vandaag een aantal manieren verzinnen om de aarde te redden. Soms is het goed om klein te beginnen. Bedenk iets wat je thuis zou kunnen doen. In je eigen gezin. En wat je op school zou kunnen doen. Enig idee?'

'Niet de lichten aan laten,' zei Saskia.

'Je huiswerk recyclen,' zei Frank.

'Ook blikjes en flessen en zo,' zei Bram.

'Van afval weer aarde maken,' zei Ricky.

'Ja,' zei meester Kokker. 'Dat laatste heet composteren.'

Fleur stak haar vinger op, waardoor

haar briefje op de grond viel. 'Bomen planten!'

'Met hetzelfde gemak gooi je het in de afvalbak,' zei Femke Koning.

'Dit is geen afval,' zei Fleur terwijl ze het

briefje van de grond raapte. Ze streepte de achternaam door en veranderde hem in Femke Honing. Jemig. Soms kreeg ze de kriebels van Femke Honing Koning.

'Geweldig!' zei meester Kokker. 'Dat zijn allemaal goede ideeën. Kijk maar eens om je heen – thuis, op school, op het school-plein – en niet alleen tijdens de biologieles. Hoe kunnen we deze planeet helpen? Hoe kunnen we de wereld om ons heen een beetje mooier maken? Iedereen heeft daar-in een taak. Zelfs één persoon kan al een heel verschil maken.'

Eén persoon! Als er maar één persoon voor nodig was, dan kon zij, Fleur Humeur, de wereld redden! Ze wist precies waar ze zou beginnen. Bij een bananenschil.

❂　　　❂　　　❂

Die middag vroeg Fleur op weg naar huis aan Ricky: 'Hé, ga je met mij mee naar huis om bananen te eten?'

'Natuurlijk,' zei Ricky, 'maar waarvoor?'

'Compost,' zei Fleur.

'Dan neem ik er wel twee!' zei Ricky.

In de keuken aten Fleur en Ricky ieder anderhalve banaan. De vierde en laatste voerden ze aan Muis, de poes van Fleur. Daarna gooide Fleur de schillen van de vier bananen in een emmer.

'Zullen we een bordje voor de emmer maken met daarop *Maak van afval weer aarde?*' vroeg Ricky.

'Zeldzaam!' zei Fleur. 'Dan kunnen we meester Kokker morgen vertellen hoe we begonnen zijn de wereld beter te maken.'

'Dubbel cool,' zei Ricky.

'Wacht eens even,' zei Fleur. 'Waarom heb ik daar niet eerder aan gedacht? *Maak de wereld beter!* Dat is het!'

'Wat is het?'

'Mijn pleister. Voor de fantasiepleister-wedstrijd! Je zult het wel zien.' Fleur rende naar boven en kwam terug met viltstiften en papier.

Aan de keukentafel maakte Ricky een bord voor de emmer met compost, terwijl Fleur de aarde tekende met een pleister

MAAK DE WERELD BETER

eroverheen. Onder de aardbol schreef ze *Maak de wereld beter*. Daarna tekende ze allemaal bananenschillen om de aarde heen.

Rutger stapte de keuken binnen. 'Wat ben je aan het tekenen?' vroeg hij aan Fleur.

'Bananenschillen,' antwoordde Fleur.

'Voor de fantasiepleister-wedstrijd,' zei Ricky.

'Jij vond vleermuizen toch zo gek?' zei Rutger. 'Die zijn lang niet zo gek als bananenschillen.'

Hij keek naar de lege schaal op tafel.

'Hé, wie heeft de laatste banaan geno-men?'

'Muis!' gilde Fleur.

Fleur en Ricky rolden over de grond van het lachen.

'Nee toch?' zei Rutger.

'Kijk maar naar haar snorharen,' zei Fleur.

Rutger plofte op de grond, met zijn gezicht heel dicht bij dat van de poes. 'Jakkes! Muis heeft bananenprut op haar snorharen.'

'Dat zei ik toch al,' zei Fleur.

'Ik ga mama vertellen dat je alle bananen op hebt gegeten,' zei Rutger. 'En ik ga ook vertellen dat je Muis een banaan hebt gevoerd.'

'Zeg maar dat het van biologisch belang is,' zei Fleur. 'Je zult het nog wel merken. Vanaf nu gaat hier heel wat veranderen.'

'We gaan compost maken,' zei Ricky. 'Zie je wel?' Hij hield zijn bord omhoog.

'Het duurt minstens honderd jaar voordat afval weer aarde is geworden,' zei Rutger.

'Rufter, we maken afval van jou als je niet oppast.'

Een meneer-Vuilnis-bui

Het was nog donker buiten toen Fleur de volgende morgen vroeg wakker werd. Ze ging op zoek naar haar zaklantaarn en haar aantekenschrift. Op haar tenen sloop ze de trap af naar de keuken om de wereld te gaan redden. Ze hoopte dat het nog voor het ontbijt zou lukken. Fleur vroeg zich af of andere mensen die de wereld beter wilden maken dat ook zo zachtjes moesten doen, in het donker, zodat hun ouders niet wakker werden.

Fleur Humeur was in een meneer-Vuilnis-bui. Meneer Vuilnis was een figuurtje uit een van Rutgers stripboeken, dat een huis had gebouwd van dozen en plastic flessen. Hij recyclede alles, zelf stokjes van ijs. En hij gebruikte nooit iets uit het regenwoud.

Hmmm… dingen die uit het regenwoud kwamen. Dat was een mooi begin. Rubber kwam uit het regenwoud. Chocola, kruiden en ook dingen als parfum. Zelfs kauwgom.

Fleur verzamelde allerlei spullen uit het hele huis en legde ze op de keukentafel. Repen chocola, mix voor chocoladecake, vanille-ijs. De koffiebonen van haar vader. De rubberen afvoerontstopper. Kauwgom uit de kauwgomballenautomaat van Rutger. De lippenstift uit haar moeders tas. Ze was zo druk bezig het regenwoud te redden dat ze niet had gehoord dat de rest van het gezin de keuken in was gelopen.

'Wat ben jij in vredesnaam...' zei haar moeder.

'Fleur, waarom zit je in het donker?' vroeg haar vader, terwijl hij het licht aandeed.

'Hé, mijn kauwgomballenautomaat!' riep Rutger.

Fleur hield ze tegen met haar armen wijd. 'We gaan deze spullen niet meer gebruiken. Het komt allemaal uit het regenwoud,' vertelde ze.

'Wie zegt dat?' vroeg Rutger.

'Dat zegt meneer Vuilnis. En meester Kokker. We kappen veel te veel bomen om koffie te kunnen verbouwen en make-up en kauwgom te maken. Meester Kokker zegt dat de aarde ons huis is. We moeten in actie komen om de wereld te redden. We hebben deze spullen helemaal niet nodig.'

'Ik heb wel kauwgom nodig!' riep Rutger. 'Geef terug!'

'Rufter! Niet zo schreeuwen. Heb je nog nooit van geluidsoverlast gehoord?'

'Staat mijn koffie er ook tussen?' zei haar vader, terwijl hij zijn handen door zijn haar haalde.

'Fleur? Is dat een bak met ijs? Het druipt helemaal over de tafel!' Haar moeder pakte de bak met ijs en hield die boven de gootsteen.

'Zzzz-zzzzz!' Fleur deed het geluid na van een kettingzaag die bomen aan het omzagen is.

'Ze is een beetje gek geworden,' zei Rutger.

Fleurs vader zette de mix voor chocoladecake terug in de kast. Haar moeder pakte de

afvoerontstopper van de keukentafel en liep ermee naar de badkamer.

Tijd voor plan B. Het Recycle-project. Fleur Humeur zou haar familie wel eens even laten zien hoeveel schade ze aan deze planeet toebrachten. Elke keer als iemand iets weggooide, dan zou zij het opschrijven. Ze pakte haar aantekenschrift en keek in de vuilnisbak. Ze schreef op:

1 sinaasappelsap-
verpakking
1 deksel van de pinda-
kaas
1 plastic broodzak
4 gebroken eierschalen
stinkend, vies, nat koffiedik
3 cakepapiertjes
2 geplette frisdrankpak-
jes (met rietjes!)
½ schaaltje havermout-
pap

'Rufter! Je mag geen kleverige, oude ha-vermoutpap in de vuilnisbak gooien!' zei Fleur.

'Pap! Zeg eens tegen Fleur dat ze op-houdt met mij te bespioneren.'

'Ik ben een afvaldetective!' zei Fleur. 'Afvaldeskundige. Meester Kokker zegt dat je moet weten wat er in je afval zit, als je wilt leren wat je kunt recyclen.'

'Hier,' zei Rutger, terwijl hij iets nats en papperigs onder Fleurs neus hield. 'Wil jij mijn klokhuis dan van binnen zien?'

'Ha ha, heel erg grappig, maar niet heus,' zei Fleur. 'Heeft er dan niemand ge-hoord van de drie W's?'

'De drie W's?' vroeg haar vader.

'Weer hergebruiken, weer recyclen.'

'Wat betekent de derde W?' vroeg Rutger.

'Weigeren met kleine broertjes te praten totdat ze ophouden troep weg te gooien.'

'Mama! Ik stop niet met troep weggooien alleen maar omdat Fleur een afvalaanval heeft.'

'Kijk nou eens naar alle troep die we weggooien!' riep Fleur. 'Weet je dat één persoon al meer dan vier kilo aan troep per dag weggooit?'

'We recyclen toch al glas en blik?' antwoordde haar moeder.

'En oud papier,' voegde haar vader eraan toe.

'Wat is dit dan?' vroeg Fleur, terwijl ze de plastic broodzak uit de vuilnisbak viste. 'Deze broodzak kan best nog dienen als tas! Voor een boek uit de bibliotheek bijvoorbeeld.'

'Wat moet je dan met eierschalen?' vroeg Rutger. 'En vies, oud koffiedik?'

'Die kun je gebruiken als plantenvoeding. Of om er compost van te maken.' Haar oog viel opeens op iets anders in de vuilnisbak. Een stapel stokjes van waterijsjes? Fleur haalde het ding tevoorschijn. 'Hé, dat is mijn blokhut uit *Het Kleine Huis op de Prairie,* die ik in groep vier heb nagebouwd!'

'Ik vind het meer op een lijmmuseum lijken,' zei Rutger.

'Sorry hoor, Fleur,' zei haar moeder. 'Ik had het eigenlijk eerst even aan je moeten vragen, maar we kunnen echt niet alles bewaren, liefje.'

'Recycle het!' riep Rutger. 'Gebruik het als aanmaakhout om een vuurtje te stoken! Of maak er tandenstokers van.'

'Niet grappig, Rufter.'

'Fleur, je bent nog niet eens klaar om naar school te gaan. We hebben het er nog wel over,' zei haar vader. 'Nu moet je je aankleden.'

Het had geen zin. Niemand luisterde naar haar. Fleur sjokte de trap op. Ze voelde zich als een luiaard zonder boom.

'Ik zal vandaag geen lippenstift op doen als jij je daardoor beter voelt!' riep haar moeder naar boven.

'En ik zal maar een half kopje koffie drinken!' riep haar vader, maar Fleur kon hem bijna niet horen, zoveel herrie maakte het malen van de koffiebonen uit het regenwoud.

Haar familie wist precies hoe ze een perfecte meneer-Vuilnis-bui moest verpesten.

Ze deed haar spijkerbroek aan en een T-shirt met daarop een afbeelding van de gevlekte bosuil. Om water te besparen, poetste ze haar tanden niet. Ze stommelde naar beneden in een boos-op-de-hele-familie-bui.

'Hier is je lunch,' zei haar moeder.

'Mam! Het zit in een papieren zak!'

'Wat is daar nou weer mis mee?' vroeg Rutger.

'Snap je dat dan niet?' zei Fleur. 'Ze zagen bomen om om er papieren zakken van te maken. Bomen geven schaduw. Ze helpen om de opwarming van de aarde tegen te gaan. Ze maken zuurstof en halen stof en troep uit de lucht.'

'Stof en troep!' zei haar moeder. 'Als je over stof en troep begint, dan wil ik het met jou wel even hebben over je kamer opruimen.'

'Ma-ham!' Hoe kon ze zich nu met belangrijke dingen bezighouden, zoals bomen redden, als ze niet eens haar eigen stamboom kon redden? Dat was de druppel. Fleur liep naar de garage en pakte haar broodtrommeltje uit groep één, met Doornroosje erop.

'Ga je echt met die kinderachtige broodtrommel in de bus zitten? Waar iedereen je kan zien?' vroeg Rutger.

'Ik ga vandaag met de fiets naar school,' antwoordde Fleur. 'Om energie te besparen.'

'Dan zie ik je daar wel.' Rutger zwaaide naar haar met zijn *papieren zakje* met boterhammen erin. Ze wou dat je kleine broertjes ook zou kunnen recyclen.

'Ga je gang. Haat jij de bomen maar,' riep Fleur. 'Je moet het zelf weten.'

De wereld beter maken was best ingewikkeld.

Varkenspootmosselen, poema's en zoetwater- mosselen

's Morgens zat Fleur op school onder rekenen de hele tijd op haar stoel te wiebelen. Ook bij taal kon ze maar niet stilzitten. Toen kregen ze eindelijk biologie.

'In het regenwoud vind je meer dan de helft van alle planten en dieren ter wereld,' zei meester Kokker. 'Daarom is het zo belangrijk om het regenwoud te beschermen. De gezondheid van onze planeet hangt ervan af. Maar wist je dat er hier in Virginia ook bedreigde diersoorten bestaan?'

Bedreigde diersoorten! Hier in Virginia! Fleur ging op het puntje van haar stoel zitten.

'Als we goed voor onze planeet willen zorgen, dan helpt het als je gewoon bij jezelf begint, dus in je eigen achtertuin. Daarom vraag ik jullie om deze week een bedreigde diersoort uit Virginia te adopteren. Vertel in de klas iets over deze diersoort, waarom hij dreigt uit te sterven en wat er gedaan kan worden om dit te voorkomen.'

Een dier adopteren! Ze zou echt een bedreigde diersoort kunnen helpen. Zij, Fleur Humeur, zou kunnen helpen de wereld te redden!

Meester Kokker schudde met een koffieblik. 'Op elk strookje papier staat de naam van een bedreigde diersoort. Als ik je naam noem, kom je naar voren en pak je een briefje uit het koffieblik. Wie wil als eerste naar voren komen?'

Alle vingers schoten de lucht in.

'Ricky.'

'De Shenandoah-salamander!' las Ricky hardop van het papiertje.

'Frank Parel.'

'Apenkopmossel.'

Zeldzaam! Fleur zwaaide met haar vinger in de lucht alsof het een vlag was. Meester Kokker had nog steeds haar naam niet genoemd.

Jelle kreeg de Amerikaanse zeearend. Saskia kreeg de poema. Thom kreeg de lederzeeschildpad.

'Femke Koning.'

'Glanzende varkenspootmossel,' zei Femke. 'Jippieee!'

Fleur kon niemand anders bedenken die een mossel zou willen adopteren. Alleen

Femke Koning. Femke Koning was dol op varkens. Dus ook op mossels die naar varkenspootjes genoemd waren.

Terwijl meester Kokker de namen opnoemde, draaide Fleur zich om en zei tegen Femke: 'Is een glanzende varkenspootmossel hetzelfde als een varkenspootje met nagellak?'

Ze moest erg om zichzelf lachen.

'Fleur Humeur.'

Fleur draaide zich weer om. Haar vinger was de enige die nog in de lucht stak.

'Er is er nog één over,' zei meester Kokker. 'Kom maar naar voren.'

Eindelijk! Fleur vouwde het briefje open. 'De noordoostelijke strandzandloopkever,' las ze.

De noordoostelijke strandzandloopkever! Dat was niet eens een dier. Dat was een insect. Vast een vies, oud, griezelig kruipertje dat op een krekel leek.

'Als we het dier niet zo leuk vinden, mogen we dan ruilen?' vroeg Fleur.

'Ik wil graag dat iedereen gewoon zijn eigen dier houdt,' zei meester Kokker.

'En als we nog nooit van dat dier hebben gehoord? Als we niet eens weten hoe het eruitziet?' vroeg Fleur.

'Dat is nou juist zo leuk,' zei meester Kokker. 'Ga maar uitzoeken hoe het dier eruitziet. In de bibliotheek, in boeken en tijdschriften. In het computerlokaal op internet. Donderdag gaan we naar het museum voor allerlei informatie over de dieren die jullie geadopteerd hebben.'

'Het grote museum of het kleine?' vroeg Frank.

'Het kleine,' zei meester Kokker. De klas kreunde. Het grote museum betekende het Smithsonian in Washington. Of het museum met de vliegtuigen. Het kleine betekende het museumpje aan het einde van de straat. Daar hadden ze speelgoedtreinen, plastic dinosauriërs en foto's die honderd jaar oud waren.

'Het leukste wat ze daar hebben, zijn de spinnenwebben,' zei Ricky.

❧   ❧   ❧

Die donderdag trok Fleur haar pyjamabroek met tijgerstrepen aan naar school, ter ere van de zandloopkever. In het museum stelde meester Kokker de gids voor aan de groep. 'Dit is mevrouw Bos en ze gaat ons iets vertellen over de bedreigde diersoorten in Virginia.'

Mevrouw Bos leek op een wandelende tak. Zelfs haar sokken waren bruin. 'Noem me maar Barbara,' zei mevrouw Wandelende Tak. 'Kinderen,' zei meester Kokker, 'ik verwacht wel dat jullie goed luisteren naar mevrouw Bos en dat niet alles het ene oor in en het andere oor weer uit gaat.'

Frank deed net of hij een oor van zijn hoofd haalde en dat aan Fleur gaf. Fleur proestte van het lachen.

Mevrouw Wandelende Tak in het Bos ging de groep voor en gaf hun een rondleiding genaamd *Waar de wilde dieren niet meer zijn.* Ze liet hun een echte, levende Shenandoah-salamander zien, een versteende slak die eruitzag als een opgerolde naaktslak en een opgezette vliegende eekhoorn die aan een bord vastgelijmd zat.

'Een vliegende eekhoorn! Heet hij echt Ricky?' vroeg Frank.

'Ja,' zei mevrouw Wandelende Tak. 'Inderdaad.'

'Hij heet ook Ricky!' zei Frank terwijl hij naar Ricky wees. 'Hé Ricky, je bent een eekhoorn!'

'En jij bent misschien wel een salamander!' zei Ricky. 'Ha ha!'

Fleur popelde om mevrouw Wandelende Tak een vraag te stellen. Ze stak haar vinger op en hield hem kaarsrecht. Eindelijk noemde Barbara haar naam.

'Hebt u hier ook noordoostelijke strandzandloopkevers?' vroeg Fleur.

'Nee sorry, die hebben we niet,' zei Barbara. 'Het is inderdaad wel een bedreigde diersoort in Virginia en het zou leuk zijn om een exemplaar in onze verzameling op te nemen.'

Welk museum met bedreigde diersoorten had nou geen noordoostelijke strandzandloopkevers?

'Hebt u ook pissebedden die in grotten leven, een grotpissebed?' vroeg Femke Wijsneus Koning.

'Wat is een "pis-in-je-bed"?' vroeg Ricky.

'Een grotpissebed is een schaaldier, net als een keldermot,' antwoordde Barbara. 'Denk maar aan een gewone pissebed of een stofluis, daar lijkt hij een beetje op. Je kunt ze in dit museum vinden in de hal met spinachtigen.'

'Getsie! Luizen zijn vies!' riep Ricky.

Fleur begreep nog steeds niet zo goed waarom ze geen noordoostelijke strandzandloopkevers in dit museum hadden. Ze hadden tenslotte bergen met slijmerige schaaldieren en luizige, vervelende pissebedden.

Fleur stak weer haar vinger op. Ze wilde net zo slim klinken als Femke Koning.

'Hebt u hier toevallig ook een tweetenige luiaard? Tropische krekels? Nachtvingerdieren?'

'We hebben hier geen tentoonstelling over het regenwoud,' zei mevrouw Wandelende Tak. 'Maar ik vind het wel een heel goed idee. Misschien in de toekomst.'

De hele klas mocht een parelkleurige zoetwatermossel aanraken, en luisterde naar een verhaal over een moeraslandspitsmuis.

'Alles wordt bedreigd,' zei Frank.

'Mijn cijfer voor biologie wordt ook bedreigd,' zei Fleur.

Kever-alarm

De volgende morgen ging Fleur op zoek naar een echte levende noordoostelijke strandzandloopkever. Voordat ze naar school moest, haalde ze een lege pinda-kaaspot uit de glasbak en rende naar de achtertuin. Ze klopte op de schors van bomen. Ze kroop door het kriebelende gras. Ze tuurde naar de grond.

'Hansje pansje kevertje,' zong Fleur. 'Voel je maar niet bedreigd, hoor!' Ze vond niet één klein kevertje. Wel vond ze een kastanje, een naaktslak en een snoeppapiertje, dat niet gerecycled was.

'Fleur!' riep haar vader. 'Wat ben je daar aan het doen in je pyjama?'

'Ik ben op zoek naar de noordoostelijke strandzandloopkever,' riep Fleur terug. 'Dat is een bedreigde diersoort. Meester Kokker zegt dat je in je eigen achtertuin moet beginnen met het beschermen van bedreigde diersoorten.'

'Niet voor het ontbijt en zeker niet in je pyjama,' antwoordde haar vader. 'Alle kevers slapen nu nog.'

Die dag zocht Fleur op school naar een plaatje van haar kever. Ze zocht ook naar informatie over het beestje. Ze keek in het woordenboek. Ze keek in een encyclopedie. Ze keek in insectenboeken. Ze zocht zelfs naar informatie op internet. Zonder succes. De meeste kevers die ze op internet vond, bleken auto's te zijn.

De volgende dag was het zaterdag. Frank Parel belde Fleur op. 'Zal ik bij je komen spelen?' vroeg hij.

'Alleen als je een noordoostelijke strandzandloopkever meeneemt,' zei Fleur.

'Oké,' zei Frank.

'Heb je er een gevonden?' vroeg Fleur. 'Echt waar?'

'Geen levende, maar ik heb wel een plaatje. Hebben jullie postzegels in huis?' vroeg Frank.

'Wat hebben die ermee te maken?'

'Ga nou maar even kijken of jullie postzegels hebben. Postzegels met insecten erop.'

Fleur legde de telefoon neer en rende naar het schrijfbureau van haar ouders.

'Alleen maar postzegels met saaie vlaggen erop,' zei ze.

'Nou, ik heb wel een biljoen postzegels en...'

'Waarom heb jij zoveel postzegels?'

'Ik spaar ze. Toen ik er een paar in mijn album plakte, zag ik ineens jouw kever op een postzegel.'

'Breng hem gelijk mee,' zei Fleur. 'Zeg maar tegen je moeder dat het een noodgeval is.'

Een half uur later belde Frank aan.

'Eindelijk!' zei Fleur, terwijl ze hem de huiskamer introk.

Frank legde zijn postzegelalbum op de salontafel en sloeg het open. Hij bladerde naar de pagina met insecten en spinnen. 'Kijk eens naar deze kevers,' zei hij. 'Dit is

een lieveheersbeestje – dat brengt geluk. En
daar heb je een mestkever, een herculeskever en een gevlekte waterkever. Ik heb
zelfs een kever met heel lange voelsprieten.'

'Welke is het?' gilde Fleur. Frank wees
naar de kever met een glanzend groene kop
en ogen als een buitenaards wezen. Onder

de kever stond in kleine letters *Cincindela dorsalis dorsalis*.

'Dat is geen noordoostelijke strandzand-loopkever,' zei Fleur. 'Dat is een Cinderella-kever.'

'Het is Latijn,' zei Frank.

'Latijn? Zijn er geen kevers die onze taal praten?'

'Lees maar eens wat eronder staat.'

Noordoostelijke strandzandloopkevers.
Komen voor op de zandstranden van de
Chesapeake Baai in Virginia.
Worden bedreigd door veranderingen in
hun natuurlijke omgeving, door de mens, de
ontwikkelingen langs de kustlijn en erosie.

'Mijn kever is een strandbeest! Een miljoen, biljoen keer bedankt, Frank. Nu kan ik aan mijn verslag gaan werken. Ik ga eerst een tekening maken voor de voorkant.'

'Zal ik je helpen?' vroeg Frank.

'Graag,' zei Fleur. 'Jij mag de doppen weer op de viltstiften doen.'

Fleur tekende heel veel noordoostelijke strandzandloopkevers op de voorkant van haar verslag.

'Je moet er wel op letten dat je de mond goed tekent, met tandjes,' zei Frank. 'En vleugels.'

'O ja,' zei Fleur.

'Zal ik je helpen met inkleuren?' vroeg Frank.

'Ja graag,' zei Fleur. 'Heb jij de apenkop-mossel al op de voorkant van jouw verslag getekend?'

'Ja hoor,' zei Frank. 'Het is een zeeschelp met bobbels die op een apenkop lijkt. Echt waar. Je kunt er zelfs ogen en oren op zien.'

'Dat moet ik zien,' zei Fleur. Ze schreef de titel van haar verslag op: *Red de noordooste-lijke strandzandloopkever.*

'Zeldzaam!' zei Fleur.

'Dubbel cool,' zei Frank.

Net toen ze klaar was met de voorkant van haar verslag, kwam Rutger de kamer binnen en bekeek de tekening van Fleur. 'Waarom heb je allemaal dikke, vliegende voetballen op de voorkant getekend?' vroeg hij.

Viezigheid in de vijver

Fleur werkte het hele weekend aan haar verslag. Op maandag vertelde iedereen bij biologie iets over zijn of haar bedreigde diersoort. Frank vertelde hoe de apenkopmossel aan zijn naam kwam. Femke Koning liet een glanzende schelp zien die eruitzag als een gestreepte zeebanketbonbon. Fleur schepte op over het belang van de noordoostelijke strandzandloopkever.

'Strandzandloopkevers recyclen dode bomen en eten bergen schadelijke insecten, dus trap er niet op. Ze zijn heel erg snel en sluw, net als tijgers. Een verwante soort in

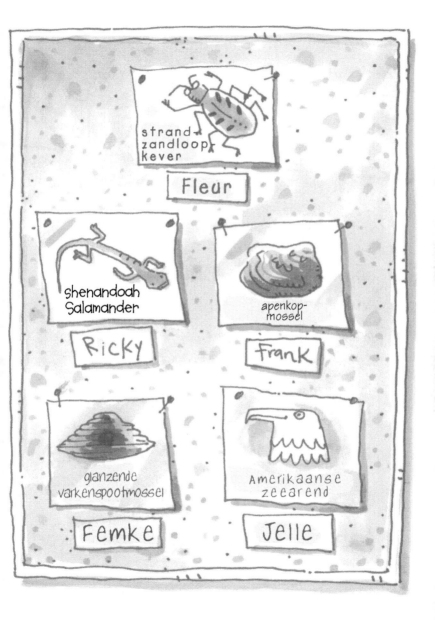

het regenwoud, de herculeskever, is vijftien centimeter lang! Strandzandloopkevers maken een luid zoemend geluid, dat klinkt zo: Bzzz! Dat was het.'

Toen ze allemaal klaar waren, zei meester Kokker: 'Goed gedaan! Bedankt voor alle interessante dingen die jullie over deze speciale diertjes verteld hebben. Denk eraan dat als je een van deze dieren in het wild vindt, je ze altijd terug moet zetten. Het is belangrijk om dieren niet uit hun natuurlijke omgeving weg te halen.'

Ineens kreeg Fleur een idee. Een Einstein-idee! Het was tijd om een geheime clubvergadering te houden. Ze gaf Frank een briefje: *Spoedvergadering van de KikkerPlasclub vandaag! Doorgeven aan Ricky.*

Femke leunde voorover en probeerde het

Spoedvergadering van de KikkerPlasclub vandaag! Doorgeven aan Ricky - F.H.

briefje van Fleur te lezen. 'Ik wed dat jij het woord *bedreigd* niet kunt spellen,' siste Femke.

'Kan ik wel,' zei Fleur. 'W-e-g, weg.'

Fleur zat onder taal de hele tijd op haar stoel te wiebelen.

Bzzz! Eindelijk ging de bel, als een prachtig koor met strandzandloopkevers. *Weg* was Fleur Humeur, w-e-g.

   ◎   ◎   ◎

Na schooltijd kropen Frank, Ricky en Fleur in de blauwe tent, die in de achtertuin van Fleur stond. Terwijl ze op Rutger wachtten, vertelde Fleur fluisterend haar plan aan Frank en Ricky.

'Ik zal Rutger uit de buurt houden,' zei Ricky.

'En ik zal Kwaak in de gaten houden,' zei Frank.

Eindelijk kroop Rutger ook de tent in, met Kwaak, hun mascotte, in een kwarkbakje.

'Waar zal ik Kwaak neerzetten?' vroeg Rutger.

'Zet hem maar hier in de hoek bij mij,' zei Frank. 'Ik zal wel op hem letten.'

'Pak hem niet op met je blote handen, Rufter, je weet wel waarom. Als je begrijpt wat ik bedoel,' waarschuwde Fleur.

'Hé, weet je dat Kwaak, als je van de "a" een "è" maakt, een eend is?' zei Rutger.

'Dat is heel leuk, Rufter,' zei Fleur. 'Weet je dat stinkdieren ook erg ruften?'

Rutger negeerde haar. 'Het is een beetje benauwd hier,' klaagde hij.

'Probeer jezelf maar iets kleiner te maken, Rufter. De mensen nemen veel te veel plaats in op aarde. Daarom hebben we zoveel problemen.'

'Nee hè, begin je weer,' zei Rutger. 'Waarom zijn we eigenlijk hier?'

'Zomaar,' zei Ricky. Hij schopte tegen Franks schoen en Frank stootte Fleur aan. Ze moesten er alledrie erg om lachen.

'Laten we brainstormen,' zei Frank. 'Je weet wel, dingen bedenken die we met onze club kunnen gaan doen. Ook al is het hier heel erg warm en vol.'

'Ik heb het veel te benauwd. Het is hier veel te warm om te brainstormen,' klaagde Rutger.

'De aarde is zelfs hier aan het opwarmen,' zei Fleur. 'Gewoon hier in Virginia.'

Rutger hijgde als een hond.

'Niet zo hijgen. Je tast de ozonlaag aan,' zei Fleur. 'Daar zit al een gat in, boven de zuidpool!'

'Je zit zelf in de ozon,' zei Rutger. Hij kroop de tent uit.

'Perfect!' zei Fleur. Fleur, Ricky en Frank gaven elkaar een dubbele high-five.

'Hij is zelfs vergeten om Kwaak mee te nemen!' zei Ricky.

'Kwekkerdekwaak, het is jouw geluksdag. Vandaag gaan we de wereld redden en we beginnen met jou,' zei Fleur.

Frank tilde Kwaak op. Kwaak kneep zijn ogen een beetje toe. 'Hij ziet er niet bedreigd uit!'

'Nee, maar je hand wordt nu wel bedreigd,' zei Fleur. 'Je kunt hem beter terugzetten.'

'Ik vind het helemaal niet leuk om hem te laten gaan,' zei Frank.

'Meester Kokker heeft het zelf gezegd! Weet je nog? Als je een dier uit de wildernis vangt, dan moet je het weer terugzetten. Kikkernapping is hetzelfde als de planeet beschadigen,' zei Fleur.

'Bedenk maar hoe gelukkig hij zal zijn,' zei Ricky.

Ze droegen Kwaak naar de sloot achter Fleurs huis. 'Ik zal je missen, Kwaak,' zei Fleur. 'Maar het is nu tijd om weer naar je kikkervriendjes te gaan en kikkerdingen te doen. Maak maar een betere plek van deze planeet.'

Fleur, Ricky en Frank telden tot drie, hielden toen het kwarkbakje op zijn kant en lieten Kwaak gaan.

'Dag Kwaakmans,' zei Ricky.

'Kijk uit voor zure regen!' zei Frank.

Kwaak knipperde nog één keer met zijn ogen en *plons!* Hij dook het water in. Na één, twee, drie luchtbellen was Kwaak verdwenen.

'Bye bye, zwaai zwaai,' zei Frank.

'Het is voor een goed doel,' zei Ricky.

'Kicken gewoon!' zei Fleur.

Ricky en Frank gingen naar huis. Fleur Humeur was goed op weg de wereld beter te maken. De KikkerPlasclub had een kleine sprong voorwaarts voor kikkers gemaakt, maar een grote kikkersprong voor de mensheid.

Het duurde een uur en achtentwintig minuten voordat Rutger doorhad dat Kwaak vermist was. Bedreigd, zoals in w-e-g, *weg*.

'Is Kwaak weg?' vroeg Rutger. 'O nee! Stel je voor dat een slang hem verslonden heeft! Of dat een gigantische havik zijn klauwen in hem heeft gezet! Het is allemaal mijn schuld. Ik had hem niet in de tent moeten achterlaten. Waarom heb je niets gedáán?'

'Ik heb wat gedaan,' zei Fleur en ze vertelde hem het goede nieuws dat Kwaak was teruggezet in de natuur om de wereld weer beter te maken.

Als Rutger een pijlgifkikker was geweest, had hij gif naar Fleur geschoten. Als Rutger een vulkaan was geweest, zou hij lava hebben gespuugd.

'Wat gemeen!' jammerde Rutger. 'Kwaak was mijn huisdier!'

'Kwaak was van alle leden van de Kik-kerPlasclub, hoor.'

'Maar ik heb het meest voor Kwaak ge-zorgd,' zei Rutger. 'Hoe kan de wereld nou beter worden door Kwaak te laten gaan? Volgens mij is hij nu juist slechter geworden.'

'Rufter, je zou zo vies zijn als het kikker-dril in de sloot als je Kwaak had laten zit-ten,' zei Fleur. 'Dat aquarium is voor hem gewoon een gevangenis.'

'Jíj gaat naar de gevangenis als ik dit aan papa en mama vertel.'

'Bekijk het nou eens van de andere kant. Kwaak is weer vrij en nu komen er nog meer kikkers bij. Snap je dat niet?'

'Ik snap heel goed dat je mijn kikker hebt gestolen.'

Soms was Rutger zo koppig als een stijf-hoofdige neushoornvogel.

'Nu hebben we geen mascotte meer voor onze club,' zei Rutger.

Fleur greep Muis vast. 'Muis zou onze nieuwe mascotte kunnen zijn!'

'De MuisPlasclub? Ik dacht het niet,' zei

Rutger. 'Zie je wel? Als Kwaak er niet was geweest, dan zou er niet eens een KikkerPlasclub zijn.'

'Er komen wel weer andere kikkers die over onze handen plassen, Rufter, dat beloof ik je.'

'Ik ga het toch aan papa en mama vertellen,' zei Rutger.

Luna Twee

De volgende dag kwam Fleur Humeur thuis van school en klom in een boom. Zij had een Probleem, met een hoofdletter P. Waarom was het hele gezin boos op haar omdat ze een kikker terug had gezet in de natuur? Zij deed alleen maar haar best om de wereld te redden. Rutger zag haar in de boom zitten.

'Hé, dat is niet eerlijk! Papa en mama hebben gezegd dat je direct na school naar je kamer moest!'

'Dit ís mijn kamer,' zei Fleur. 'Voortaan ga ik hier in de boom wonen. Net als Julia Vlinder Hill.'

'Wie?'

'De vrouw die twee jaar in een boom woonde. Meester Kokker heeft ons over haar verteld. Ze waren van plan om heel oude roodhoutbossen te kappen. Daarom klom Julia Vlinder Hill in een van die bomen en bleef daar zitten. Ze konden natuurlijk niet een boom omzagen waar een mens in zat. Ze heeft de boom zelfs een naam gegeven: Luna.'

'Je kunt toch niet zomaar in een boom wonen, Fleur,' zei Rutger.

'Vanaf nu heet ik Fleur Monarchvlinder Humeur.'

'Nee hè,' zei Rutger. 'Daar gaan we weer.'

'Als ik in deze boom ga wonen, dan komen er journalisten op bezoek en mensen van de televisie. Dan komt iedereen te weten hoe belangrijk bomen zijn. Ik ga mijn boom Luna Twee noemen.'

'Wat dacht je van Lotje Getikt?' zei Rutger.

'Heel erg grappig,' zei Fleur. 'Rufter, jij moet mijn boodschappenjongen zijn.'

'Wat moet ik dan gaan kopen in de winkel?' zei Rutger.

'Nee, ik bedoel dat jij moet halen wat ik nodig heb,' zei Fleur. 'Ga even mijn walkietalkie halen. Dan gebruik ik die, net zoals Julia Vlinder Hill haar mobiele telefoon op zonne-energie gebruikte.'

Rutger kwam terug met de walkietalkie. Fleur klom naar een wat lager gelegen tak en Rutger ging op een krat staan om hem aan te geven.

'Haal nu even een zaklantaarn voor me.

Het wordt hier boven in de boom vast heel erg donker.'

Rutger ging weer naar binnen en haalde de zaklantaarn.

'Kun je nu even een glas water voor me halen?' vroeg Fleur.

'Water? Waar is dat water dan voor?' vroeg Rutger.

'Ik heb dorst!'

'Vergeet het maar,' zei Rutger.

'Dan krijg je vijftig cent.'

'Hoe lang blijf je daar zitten?' vroeg Rutger, terwijl hij bedacht hoeveel hij daarmee zou kunnen verdienen.

'Julia Vlinder Hill bleef 738 dagen in haar boom zitten. Vroeg of laat moet je wel water voor me halen, Rufter. En linzen. Julia Vlinder Hill at linzen.'

'Linzen! Jij hebt nog nooit van je leven één lins gegeten!' zei Rutger. Hij ging een fles water halen. 'Ik krijg vijftig cent van je,' zei hij. 'De linzen zijn op. Ik was vergeten dat ik ze gebruikt heb om mijn Empire State Building te maken bij geschiedenis.'

'Nou, dan moet ik maar proberen om lima-bonen te eten,' zei Fleur. 'Bah.'

'Ricky komt zo,' zei Rutger. 'Hij belde en ik heb hem verteld dat jij nu in een boom woont. Ik heb hem ook verteld dat jij een heel groot probleem hebt als papa en mama erachter komen dat je niet meteen naar je kamer bent gegaan.'

'Dit ís mijn kamer.'

'Mag ik dan jouw oude kamer hebben?'

❧   ❧   ❧

Ricky kwam de achtertuin in rennen. 'Wat is er aan de hand, Fleur? Heeft iemand gezegd dat je de boom in kunt?' Hij moest zelf erg om zijn grapje lachen.

Fleur lachte niet. Fleur zei helemaal niets.

'Je moet haar Fleur Monarchvlinder Humeur noemen,' zei Rutger.

'O, ik snap het al,' zei Ricky. 'Net als dat meisje dat in de boom woonde. Wat doe je als het gaat regenen?'

'Dan blijf ik onder de bladeren zitten,' zei Fleur.

'En als het donker wordt?' vroeg Ricky.

'Ik heb een zaklantaarn,' zei Fleur.

'Zie je nou wat ik bedoel?' zei Rutger. 'Eerst was ze aan het zeuren over afval. Toen was er die rare kever. Straks zegt ze dat ik óók nog de boom in kan!'

'Alle gekheid op een stokje,' zei Ricky. Ricky en Rutger rolden over de grond van het lachen.

'Hoe krijgen we haar nou naar beneden?' vroeg Rutger aan Ricky.

'Meester Kokker zei dat de houthakkers heel harde muziek draaiden en dat ze de hele nacht met felle lampen naar Julia Vlinder Hill schenen om haar naar beneden te krijgen,' zei Ricky.

'Dan is het nu tijd voor Operatie Gettoblaster,' zei Rutger.

Ze draaiden keiharde muziek om Fleur naar beneden te krijgen. Maar Fleur deed

gewoon haar vingers in haar oren en neuriede het volkslied.

'Wat hebben ze nog meer geprobeerd bij Julia?' vroeg Rutger.

'Rechtszaken,' zei Ricky.

'Ik klaag je aan als je nu niet meteen naar beneden komt!' riep Rutger.

'Waarom?' vroeg Fleur.

'Omdat je in die boom blijft zitten en zo onder je straf uit probeert te komen, of zoiets.'

'Of zoiets,' zei Fleur.

'Laten we proberen om de boom door elkaar te schudden,' zei Ricky. Ze sloegen hun armen om de stam heen, maar niet één blad aan de boom bewoog.

'Schors van bomen is nog erger dan een insectenbeet,' zei Rutger, terwijl hij zijn geschaafde arm liet zien.

'Hé Fleur, ik heb een dokter nodig. Echt waar. Ga je dokterskoffertje halen.'

'Leuk geprobeerd,' zei Fleur Monarchvlinder Humeur.

Op dat moment kwam Muis naar buiten en stoof de boom in.

'Leuk dat je me gezelschap komt houden,' zei Fleur. 'Nu voel ik me niet zo eenzaam.'

'Geweldig,' zei Rutger. 'Nu wil Muis ook niet meer naar beneden. Straks moeten we haar Muis Zwaluwstaart Humeur of zoiets gaan noemen.'

'Ik moet hier wel blijven zitten,' zei Fleur. 'In het belang van alle bomen. En in het belang van uilen en vliegende eekhoorns en alle dieren die bomen nodig hebben. Zelfs mensen. En kikkers.'

'Joh, laat haar maar lekker in de boom zitten,' zei Rutger. 'Wat maakt het uit als ze uit de boom valt? Wat geeft het als ze in de problemen komt?'

'Zelfs Fleur Monarchvlinder Humeur kan daar niet eeuwig blijven zitten. Ze moet straks toch weer naar school,' riep Ricky.

'Julia Vlinder Hill heeft haar diploma gehaald terwijl ze in de boom zat,' riep Fleur terug.

'Misschien komt ze wel uit de boom als we haar negeren,' zei Ricky.

'Operatie Fleur Negeren begint nu,' zei Rutger.

Rutger en Ricky gingen naar binnen. Muis sprong van een tak op de grond en volgde hen. 'Verrader!' riep Fleur de kat achterna.

In een boom wonen was best een beetje
eenzaam. Fleur vroeg zich af of Julia Vlinder Hill zich ook eenzaam had gevoeld. 738
dagen was wel lang. Fleur zat er nog niet
eens 738 seconden.

❧   ❧   ❧

Een paar minuten later renden Rutger en Ricky weer naar buiten. Rutger zwaaide met een envelop.

'Hé, jij daar in de boom,' zei Rutger. 'Fleur Monarchvlinder Humeur.'

'Wat nou weer?' vroeg Fleur.

'Je hebt post van de fantasiepleister-wedstrijd,' riep Ricky naar boven.

'Echt waar?' zei Fleur, terwijl ze naar beneden keek vanaf haar hoge troon. 'Maak de brief open en lees maar voor.'

'Echt niet,' zei Rutger. 'Kom maar naar beneden, dan kun je hem zelf lezen.'

'Daar trap ik echt niet in, Rufter,' zei Fleur.

'Oké, ik lees de brief wel voor,' zei Rutger. Hij maakte de envelop open. 'Beste Fleur Humeur,' las Rutger. 'Ze weten zeker nog niet dat je Fleur Monarchvlinder Humeur heet.'

'Lees nou maar verder!' zei Fleur.

'Gefeliciteerd! Je bent de winnaar van de wedstrijd "Ontwerp je eigen fantasiepleister".

Fleur kon haar oren niet geloven! Ze klom vliegensvlug van haar tak uit de boom Luna Twee. 'Laat mij eens zien.' Ze las hardop:

Beste Fleur Humeur,

We missen je glimlach. We verzoeken je vriendelijk een afspraak te maken voor de halfjaarlijkse tandarts-controle.

Rutger en Ricky proestten het uit van het lachen.

'Rufter!' gilde Fleur. 'Je hebt me voor de gek gehouden. Dit is helemaal geen brief van de fantasiepleister-wedstrijd! Heb je me uit de boom laten komen omdat de tandarts mijn lach mist?'

'Het is wel gelukt,' zei Rutger.

'Kijk maar eens goed naar deze glimlach,' zei Fleur, terwijl ze haar tanden ontblootte als een Siberische tijger.

'Betekent dit dat ik je kamer niet krijg?' zei Rutger.

'Grrom!' zei Fleur.

Dol op pleisters

Toen Fleur, Rutger en Ricky de volgende dag na school uit de bus stapten, riep Rutger: 'Wie het eerst bij de brievenbus is!' Maar Fleur rende Rutger niet achterna. Ze bleef gewoon staan waar ze stond, zodat ze Ricky's nieuwe verdwijntruc met kauwgom kon zien. Op dat moment hoorde ze Rutger over straat gillen: 'Een brief van de fantasie-pleister-wedstrijd! Fleur, je hebt gewonnen!' Hij zwaaide met een envelop.

'Rufter, jij kunt echt liegen alsof het gedrukt staat!' zei Fleur. 'Ik trap niet nog een keer in die geintjes van jou.'

'Er staat hier toch echt met dikke rode letters *Winnaar van de wedstrijd.* Zie je wel?'

'Als dit weer een van je grapjes is, dan kun jíj de boom in,' zei Fleur, terwijl ze de straat overstak.

'Misschien is het deze keer geen grap,' zei Ricky, die naast haar liep. 'Wat heeft ze gewonnen?'

'Skeelers!' zei Rutger.

'Skeelers passen niet in een envelop, Rufter.'

'Misschien ben je tweede geworden,' zei Rutger. 'Misschien heb je een zonnebril gewonnen.'

'Een zonnebril past ook niet in die envelop. Geef eens hier.' Fleur griste de envelop uit Rutgers handen en scheurde hem open.

Geachte mevrouw Humeur,

Gefeliciteerd! In de envelop vindt u het certificaat met een eervolle vermelding omdat u hebt meegedaan aan de fantasie-pleister-wedstrijd.

Proficiat!

'Certificaat?' gilde Fleur. 'Is dat alles wat ik krijg voor *Maak de wereld beter?* Een armzalig stukje papier? Een certificaat haalt het niet bij skeelers. Een certificaat plak je niet op miljoenen enkels.'

'Een certificaat met een eervolle vermelding is eigenlijk gewoon een tweede plaats,' zei Ricky.

Fleur deed haar handen over haar oren. 'Ik kan het woord certificaat niet meer hóren.'

'Jij hebt tenminste íets gekregen,' zei Rutger.

'Ja, dat is waar,' zei Ricky. 'Rutger heeft niet eens een certificaat.'

Daar knapte Fleur een beetje van op. 'Nou heb ik in ieder geval wel iets om op het Bord met Beroemdheden in de keuken te hangen.'

Op dat moment liet Rutger de post op de grond vallen. Een catalogus en een aantal enveloppen vlogen alle kanten op. 'Help!' riep Rutger. Er dwarrelde een brief uit de catalogus de oprit op.

'Wacht eens even!' riep Rutger, terwijl hij de brief opraapte. 'Ik heb ook een brief gekregen!'

'Nu zullen we eens zien of jij certificaten nog steeds zo leuk vindt,' zei Fleur.

Rutger nam alle tijd om zijn envelop open te maken.

'Rufter, als je zo doorgaat, zit ik in groep zes voor je klaar bent. Schiet eens op. Lees de brief voor!'

Rutger las de brief voor.

Geachte heer Humeur,

Gefeliciteerd! U bent winnaar van de wedstrijd 'Ontwerp je EIGEN fantasie-pleister'.
Uw ontwerp, *Dol op pleisters*, zal in oktober de speciale pleister van de maand zijn.

'Ik ben fantasiepleister van de maand!' riep Rutger, terwijl hij op en neer sprong en met de envelop zwaaide.

'Laat eens zien.' Fleur las de brief door. Hoe kon dat nou? Haar eigen stinkende broertje was fantasiepleister van de maand!

'Wat mankeert die lui?' riep Fleur, terwijl

ze met de brief wapperde. 'Hebben ze last van vleermuizen in hun klokkentoren? Hebben ze pleisters op hun hersens? Weten ze dan niet dat vleermuizen kraaloogjes hebben en platte neusjes zoals varkens? Weten ze niet dat vleermuizen eruitzien als vampiers?'

'Ze zien er in ieder geval niet uit als vliegende voetballen,' zei Rutger.

'Willen ze dan niet dat de wereld beter wordt?' vroeg Fleur.

'Vleermuizen met grote oren zijn een bedreigde diersoort, hoor,' zei Rutger. 'Door ze op een fantasiepleister te zetten, maak je de wereld weer wat beter.'

'Grrom!' zei Fleur. Vleermuizen met grote oren zouden de enkels van miljoenen mensen sieren. Ondertussen zou de hele staat Virginia op de noordoostelijke strandzandloopkever trappen zonder het door te hebben.

'Hé! Hoe zit het eigenlijk met de skeelers?' vroeg Ricky.

'Er staat hier dat ik een fantasiepleister-zonnebril heb gewonnen,' zei Rutger.

'Dan zit je prijs daar zeker in,' zei Ricky, terwijl hij naar een grote doos op de veranda wees. Rutger en Ricky renden erheen, met Fleur op hun hielen.

'Het is van het fantasiepleister-bedrijf!' riep Rutger. 'Mijn zonnebril!'

'In die grote doos? Zeker een zonnebril voor een neushoorn,' zei Fleur.

'Misschien hebben ze zich vergist en hebben ze jou per ongeluk de skeelers gestuurd,' zei Ricky.

'Ik hoop dat ze zwart zijn, met rode racestrepen erop en een zilveren...'

'Rutter! Maak die doos nou open!' riep Fleur.

Rutger scheurde de doos open. Er zaten geen skeelers in. En ook geen zonnebril voor een neushoorn. Het waren fantasiepleisters. Ladingen fantasiepleisters. Wel een triljoen fantasiepleisters. Een voorraad voor het leven. Het waren minstens tien dozen!

'Zeldzaam,' fluisterde Fleur.

'Wauw!' zei Ricky. 'Ik heb nog nooit zoveel fantasiepleisters bij elkaar gezien.'

'Ik wel hoor,' zei Rutger en hij wees naar Fleur, koningin van de fantasiepleisters. 'Maar deze zijn allemaal van m-i-j, *mij*.'

'Heb jij dit getekend?' vroeg Ricky, terwijl hij naar Rutgers ontwerp keek. 'Dubbel cool.'

'Wauw, je eigen originele fantasiepleister,' zei Fleur. Ze kon het niet helpen dat ze

zich een sperzieboon voelde. Groen van jaloezie.

'Hé, kijk! Hier is mijn zonnebril,' zei Rutger, terwijl hij op de bodem van de doos graaide. De bril had de vorm van een pleister. Hij zette de zonnebril op en keek naar de zon. 'Hij werkt!' zei hij.

'Geluksvogel!' zei Fleur. 'Die beschermt je tegen dat gigantische gat in de ozonlaag boven de zuidpool.'

Rutger had zijn eigen fantasiepleister! Haar eigen doldwaze kleine broertje was nu net zo beroemd als Josephine Dickson, uitvindster van de zelfklevende pleister. Als dat grote gat er niet zat, dan zou zij, Fleur Humeur, naar de zuidpool verhuizen.

'Denk je dat ze op de zuidpool ook vleermuizen hebben?' vroeg Fleur.

'Bevroren vleermuizen,' zei Rutger.

'Ow-oooo!' Fleur gooide haar hoofd achterover richting ozonlaag en schreeuwde als een brulaap.

Potloodproject

De volgende morgen voelde Fleur zich bij het wakker worden als een mot in de vacht van een luiaard. Ze had helemaal geen zin om uit bed te stappen. Het redden van de wereld ging nog niet zo goed. Ze had eigenlijk nog niet écht iets belangrijks gedaan. Zoals de wereld beter maken met haar eigen fantasiepleister. Tot nu toe had ze alleen maar vier bananenschillen, een boterhamzakje en een kikker gered.

Op vrijdagmorgen at Fleur haar ontbijt-zonder-afval in stilte. Ze pakte zelf haar lunch-zonder-afval in. Ze zei geen woord

toen Rutger allemaal fantasiepleisters op zijn armen, ellebogen, knieën en kin plakte.

'Deze fantasiepleisters kriebelen,' zei Rutger, terwijl hij er een van zijn elleboog trok. Toen kon Fleur zich niet meer inhouden.

'Als het mijn fantasiepleisters waren,' zei Fleur, 'dan zou ik ze met alle plezier laten kriebelen. Ik zou niet één keer krabben. En ik zou ze er nooit aftrekken. Zelfs niet in bad.'

◎　　　◎　　　◎

Op school stak Fleur niet één keer haar vinger op. Ze gaf geen briefje door aan Frank. Onder de taalles zat ze op haar geurpotlood te kauwen. Ze had zin om alle potloden op te eten.

Toen ze met biologie begonnen, deed meester Kokker zijn horloge af en zei: 'Ik wil dat iedereen zestig seconden stil blijft zitten. Ik zal de tijd bijhouden.' Toen de minuut voorbij was, zei meester Kokker: 'Tijdens deze minuut is er vierduizend are regenwoud gekapt. Dat is net zoveel als tachtig voetbalvelden.'

'Zoveel? Nee toch!' riep de klas in koor.

'Wij zijn allemaal afhankelijk van het

regenwoud,' zei meester Kokker. 'Voor allerlei dingen die we elke dag eten, dragen of
gebruiken. Denk daar maar eens over na.
Zelfs je houten potlood en je gum kunnen
uit het regenwoud komen. Achtennegentig
procent van het cederhout dat gebruikt
wordt voor potloden is afkomstig van bomen uit het regenwoud.'

Fleur stopte met kauwen op haar geurpotlood. Ze staarde ernaar. Het geurde ineens

niet zo lekker meer. Dit potlood
was vroeger een boom geweest.
Een boom in het regenwoud!
Zij, Fleur Humeur, zou nooit
meer een potlood gebruiken.
Zelfs geen geurpotlood.

'Als we helpen het regen-
woud te redden, dan helpen

we ook om de planeet te behouden,' zei meester Kokker.

Opeens kreeg Fleur een idee. Een perfect Red-de-Wereld-idee. Het zou haar alleen maar haar pauze kosten.

Toen alle kinderen naar buiten renden om op het plein te gaan spelen, sloop Fleur terug naar het klaslokaal. Dit was haar grote kans. In elk kastje lag een etui met potloden. Fleur rende door het lokaal en haalde alle potloden uit de kastjes. Ze verstopte ze in de bloemenvaas.

Toen de pauze voorbij was, gingen ze rekenen. 'Pak je werkboek er maar bij,' zei meester Kokker. 'En je potlood, want dat gaan we veel gebruiken.'

O jee, dacht Fleur.

'Hé, mijn potlood is weg!'

'Dat van mij ook!'

'Het mijne lag hier!'

'Meester Kokker! Meester Kokker! Iemand heeft onze potloden gestolen!' De hele klas was in rep en roer.

'Oké, heeft iemand hier een grapje uitgehaald?' vroeg meester Kokker. Niemand antwoordde. 'Weet iemand iets van de verdwenen potloden?'

Fleur hield haar hoofd naar beneden en deed net of ze een moeilijke rekensom aan het maken was. Jelle keek naar Fleur. Zij was de enige die niet klaagde dat haar potlood weg was. En ze was sommen aan het maken met een p-e-n.

'Potlooddief!' riep Jelle en hij wees naar Fleur. 'Fleur Humeur heeft onze potloden gestolen!'

Fleur voelde eenentwintig paar boze ogen van potloodliefhebbers op zich gericht.

'Fleur?' Meester Kokker kwam bij haar tafeltje staan. 'Weet jij meer van die verdwenen potloden?'

'Ja, ik heb ze gepakt,' biechtte ze op. 'Omdat ik vind dat we geen potloden meer moeten gebruiken.'

'Stoppen met potloden gebruiken? Dat is belachelijk!' zei Jelle.

'Om het regenwoud te redden,' zei Fleur.

'Hmmm. Wat vinden jullie daarvan?' vroeg meester Kokker.

'We willen gewoon onze potloden terug,' zei Bram.

Fleur kon haar oren niet geloven. Konden ze in groep vijf alleen maar aan hun potloden denken? Hadden ze te weinig frisse lucht gehad in de pauze? Kon het ze niets schelen dat er elke minuut tachtig voetbalvelden aan bomen werden gekapt? Ze wilde dat ze allemaal naar PENnsylvania zouden verhuizen.

'Ik vind dat we het regenwoud móéten redden,' zei Frank.

'Ik ook,' zei Merel.

'Drie keer is scheepsrecht,' zei Ricky.

'Ja, maar we kunnen toch niet zeggen dat we nooit meer potloden gebruiken,' zei Thom. 'We schrijven toch dingen op die we later weer uit moeten kunnen gummen. Zoals bij rekenen. Hoe kunnen we de wereld redden zonder rekenen?'

'Misschien kunnen we minder potloden gebruiken,' zei Femke Koning. 'Met een potlood kun je een streep trekken van zesenvijf-tig kilometer. We kunnen bijvoorbeeld be-loven om hetzelfde potlood te gebruiken tot we in groep zeven zitten.'

Hoe wist Femke Koning zoveel over pot-loden? Misschien was ze toch leuker dan Fleur dacht.

'Hoeveel potloden halen ze uit één boom?' vroeg Fleur.

'Geen een,' zei Jelle. 'Potloden groeien niet aan bomen.'

'Heel erg grappig,' zei Fleur. 'Ik meen het. Je kunt heel veel potloden uit één boom halen. Echt waar.'

'Uit één boom kun je 172.000 potloden halen!' zei Femke Koning. 'Dat heb ik gelezen in het blad *Panda*.'

'Wauw! Uit één boom zouden we alle

potloden voor de hele school kunnen maken.'

'Alle potloden voor Virginia!'

'Eigenlijk zouden we dan weer een nieuwe boom in het regenwoud moeten planten,' zei Fleur. 'Voor de Viriginia Dare school. Om het een beetje goed te maken dat we zoveel potloden gebruiken.'

'Kinderen over de hele wereld zamelen al geld in om het regenwoud te beschermen,' zei Femke tegen haar klasgenoten. 'Het kost maar een dollar om een nieuwe boom te planten in het Regenwoud van de Kinderen in Costa Rica.'

'Als het maar een dollar kost,' zei Fleur, 'dan kunnen we hun geld sturen zodat zij bomen kunnen planten en onze klas kan de bomen dan weer adopteren.'

'Wauw,' zei iedereen. 'Dat is een goed idee.'

'Nou jongens en meisjes, hoe zouden we aan geld kunnen komen?' vroeg meester Kokker.

'Misschien kunnen we auto's gaan wassen,' zei Babette.

'We kunnen ook iets gaan verkopen,' zei Ruben. 'Koekjes of zo.'

'Mijn zus heeft in groep zeven een toneelstuk opgevoerd en zo geld opgehaald om de walvissen te redden,' zei Femke. 'Ze heeft er zelfs een Giraffeprijs voor gewonnen.'

Een Giraffeprijs! Voor iemand die zijn nek uitsteekt voor een goed doel. Fleur kon bijna niet wachten tot ze zelf in groep zeven zat!

'Misschien kunnen we een goochelshow opvoeren,' zei Ricky.

'Of spullen verzamelen die we kunnen recyclen,' zei Frank, 'en zo geld ophalen. Het kringloopbedrijf geeft vijf cent voor een frisdrankfles of melkfles.'

'Zeldzaam!' zei Fleur.

'Dubbel cool!' zei Ricky.

'Frisdrankflessen verzamelen lijkt me een heel goed idee,' zei meester Kokker. 'We halen geld op én we zijn aan het recyclen. Jongens en meisjes, wat vinden jullie daarvan? Denken jullie dat we genoeg flessen kunnen verzamelen?'

'Jaaa!' riep iedereen.

Dat was dan afgesproken. Groep 5B van de Virginia Dare school ging flessen verzamelen. Ze begonnen met het project in hun eigen kantine.

@   @   @

Groep vijf was die middag bezig om door de hele school lege flessen te verzamelen. Ze maakten een grote stapel van alle lege flessen uit groep één, groep twee en de lerarenkamer. Ze haalden er zelfs een paar uit de vuilnisbakken.

Groep vijf werkte zo hard als een kolonie bladsnijmieren. 'Slim bedacht,' fluisterde Frank, 'nu hoeven we niet te rekenen!'

'Ik vind dit veel leuker dan die keer dat je mijn arm in het gips deed,' zei Femke.

'We hebben nog veel meer flessen nodig om het regenwoud te redden,' zei Ricky.

'Ricky heeft gelijk,' zei meester Kokker. 'Laten we eens kijken hoeveel flessen we thuis kunnen verzamelen dit weekend. Vraag het aan je familie en buren. Vertel het aan je vrienden.'

Fleur Humeur voelde zich zo scherp als de punt van een potlood. Nog een paar dagen en een paar honderd flessen en dan zouden ze echt het regenwoud kunnen redden.

Ze was in haar beste Fleur-Humeur-bui aller tijden. Eindelijk was ze goed op weg om de wereld te redden. Het leukste daaraan was dat ze het niet eens alleen hoefde te doen. Groep 5B zou samen de wereld redden. Net als een ecosysteem!

Fleur Monarchvlinder Humeur wist precies hoe een vlinder zich voelde als die uit zijn cocon kroop: zo licht als een veertje.

Flessen verzamelen

'Laten we op flessenjacht gaan,' zei Ricky. 'Na school.'

'Ik hoop dat de jacht op flessen makkelijker is dan de jacht op de noordoostelijke strandzandloopkever,' zei Fleur.

Ze zochten eerst in Ricky's garage en vonden daar twee kratten met melkflessen die nog niet ingeleverd waren.

'Zeldzaam!' zei Fleur. 'Zevenentwintig flessen!'

'Er zijn ook frisdrankflessen bij die een beetje gedeukt zijn. Zou dat erg zijn?'

'Dat geeft niets, hoor,' zei Fleur. 'Het zijn

toch PET-flessen? Misschien betekent dat wel *prop-en-trap*-flessen.'

Bij Fleur thuis kregen ze van haar moeder een aantal lege frisdrankflessen die ze bewaard had om er vogelvoer in te doen. Haar vader had geen lege flessen, dus gaf hij Ricky en Fleur elk een dollar om een boom te planten.

'Bedankt, meneer Humeur!' zei Ricky.

'Betekent dit dat ik weer lippenstift mag dragen?' vroeg haar moeder.

'En mag ik weer koffie drinken?' vroeg haar vader.

'Ja. Maar niet te veel,' zei Fleur lachend.

'Het is niet eerlijk,' zei Rutger. 'Ik zou ook een boom planten als ik een dollar zou krijgen of zoiets.'

'Of zoiets,' zei Fleur.

De week daarop verzamelde groep 5B een

hele berg lege flessen in de aula van de school. Tassen met flessen, dozen met flessen, vuilnisbakken vol flessen. 'Groep vijf, jullie hebben heel goed samengewerkt,' zei meester Kokker. 'Weet je dat we tweeënhalf miljoen plastic flessen per uur weggooien in dit land? In drie maanden hebben we zoveel flessen weggegooid dat we de hele wereld ermee kunnen omspannen.'

'Pas op!' zei Ricky. 'Straks nemen de flessen de wereld over!'

'Mensen moeten de flessen gewoon recyclen,' zei Femke Koning. 'Mijn vader heeft een jas die gemaakt is van gerecyclede plastic flessen. Mijn sokken zijn ook gemaakt van flessen.'

'Echt niet,' zei Fleur. Ze draaide zich om en keek naar de sokken van plastic flessen. Ze zagen er heel gewoon uit. Ze leken helemaal niet op flessen.

'Het is waar,' zei meester Kokker. 'Al dat plastic kan gerecycled worden om er speelgoed, kleerhangers of fotolijstjes van te maken. Zelfs vuilnisbakken!'

'Hoeveel flessen zouden we al hebben?' vroeg Femke.

'Laten we ze allemaal opstapelen en kijken hoe hoog we komen,' zei Jelle.

De klas was de hele rekenles bezig om alle flessen op te stapelen.

'We kunnen het wel de Flessenberg noemen,' zei Ricky.

'Dubbel cool,' zei Frank. 'Het lijkt wel een gigantische iglo.'

Toen ze de laatste fles op de stapel hadden gezet, zei meester Kokker: 'Het is een belangrijke dag morgen. Dan gaan we namelijk alle flessen tellen. Onze adjunct-directeur, mevrouw Van Hofwegen, zal dan bekendmaken hoeveel geld we hebben opgehaald. En nu snel allemaal je spullen pakken, anders missen jullie de bus.'

'Morgen!' zei Fleur. 'Dat duurt nog vierentwintig uur!' Ze kon haast niet wachten om te horen hoeveel bomen er namens de Virginia Dare school geplant konden worden in het regenwoud.

De knipoogziekte

Toen Fleur en Ricky de volgende morgen uit de bus stapten, stond mevrouw Van Hofwegen al bij de schooldeur te wachten. 'Hoe gaat het met jullie?'

'Best goed, geloof ik,' zei Fleur.

'Vandaag horen we hoeveel bomen we kunnen planten,' zei Ricky.

'Dat klopt,' zei de adjunct-directeur. 'Ik wens jullie een fijne dag.' En ze knipoogde. Fleur keek naar Ricky. Ricky keek naar Fleur.

Fleur Humeur wist zeker dat ze de adjunct-directeur nog nooit naar iemand

had zien knipogen sinds ze in groep vijf zat.

Fleur en Ricky renden voordat de les begon naar de aula om nog een keer naar de stapel flessen te kijken, maar de deuren zaten op slot. Toen ze bij hun lokaal aankwamen, stond meester Kokker al in de deuropening. 'Is het geen fantastische vrijdag vandaag?' zei hij. Toen knipoogde hij. Zo lang Fleur in groep vijf zat, had ze meester Kokker nog nooit het woord *fantastisch* horen zeggen. En ze wist heel erg zeker dat ze hem ook nog nooit had zien knipogen.

'Er is iets aan de hand,' zei ze tegen Ricky.

Fleur ging naast Frank zitten. 'Weet je wat? Er is iets raars aan de hand. Alle leraren hebben de knipoogziekte vandaag.'

'De knipoogziekte?'

'Ja, je weet wel, dat ze naar je knipogen en aardige dingen zeggen.'

Terwijl Fleur wachtte tot de bel ging, keek ze de klas rond naar alle kinderen in haar ecosysteem. Er was niet één kind afwezig. Iedere leerling van groep 5B had zijn best gedaan om zoveel mogelijk flessen te verzamelen.

'Jongens en meisjes,' zei meester Kokker, terwijl hij het licht aan en uit deed om hun aandacht te krijgen. 'Ik heb een paar mededelingen. Even goed luisteren.'

Fleur Humeur zat de hele tijd op haar stoel te draaien tijdens de mededelingen. Een larve in een wolfsmelkzaadje zou nog beter stil kunnen zitten dan Fleur die morgen.

'En dan is nu,' klonk de stem van mevrouw Van Hofwegen via de intercom, 'het moment aangebroken waarop jullie allemaal gewacht hebben...'

Fleur Humeur zat ineens recht overeind op haar stoel en spitste haar oren.

'Zoals jullie weten, heeft groep 5B van meester Kokker deze week lege flessen ingezameld om geld op te halen voor het regenwoud. Dit geld zal namens de Virginia Dare school opgestuurd worden naar het Regenwoud van de Kinderen in Costa Rica om nieuwe bomen te planten. Dankzij groep 5B heeft de Virginia Dare School 1961 flessen verzameld. Dat betekent dat we achtennegentig bomen kunnen planten om te helpen het regenwoud te redden.'

Achtennegentig! Opeens herinnerde

Fleur zich de dollars van haar vader. Twee dollar betekende nog twee bomen. Honderd bomen! Iedereen in de klas sprong op en neer, klapte in de handen en gilde door elkaar.

'Wij willen onze waardering voor groep vijf tonen in een speciale bijeenkomst van-

daag om half drie. Dan kan de hele school de leerlingen een groot applaus geven om zo te laten zien hoe trots we zijn op hun fantastische inzet voor het goede doel.' Mevrouw Van Hofwegen vertelde ook nog dat de lunch bestond uit hamburgers met barbecuesaus en dat aanstaande maandag de kaartverkoop zou starten voor de rommelmarkt. 'En zou Fleur Humeur zich even bij mij willen melden?'

'O jee. Dan heeft Fleur een probleem,' zei Femke Koning.

'Niemand heeft een probleem,' zei meester Kokker. 'Fleur zal onze klas vertegenwoordigen tijdens de bijeenkomst vandaag. Tenslotte heeft Fleur ons aan het denken gezet over onze potloden, en voordat we het wisten, waren we bomen aan het planten in het regenwoud. Fleur, ga maar naar mevrouw Van Hofwegen om te horen wat ze te zeggen heeft.'

Fleur liep zo snel ze kon zonder te rennen door de grote groene gangen van de Virginia Dare school naar het kantoor van de adjunct-directeur. De papier-maché maskers die aan de buitenkant van haar lokaal hingen, leken naar haar te knipogen. De zelfportretten van groep vier leken te grijnzen. De zonnebloemen van groep drie leken nog trotser rechtop te staan. Mevrouw Van Hofwegen nam Fleur mee naar de aula. Ze vertelde Fleur waar ze op de eerste rij moest zitten tijdens de bijeenkomst en wanneer ze het podium op moest komen.

'Als ik je op het podium roep, zal ik je iets overhandigen voor jouw klas. Jij neemt het aan en dan loop je over het podium weer naar de rest van je klas.'

'Is het een certificaat?' vroeg Fleur.

'Het is een verrassing! Het is heel leuk. Je zult het wel zien,' zei de adjunct-directeur. En ze knipoogde.

Dus dáárom loopt iedereen te knipogen, dacht Fleur.

Om vijf voor half drie liep meester Kokkers klas naar de aula. Fleur ging op haar plaats zitten op de eerste rij. Alle lichten in de zaal gingen uit. De gordijnen gingen open. Een bundel licht scheen op mevrouw Van Hofwegen. Iedereen applaudisseerde.

'Jongens en meisjes, vandaag zijn we hier bijeen om te laten zien hoe trots we zijn op groep 5B. De leerlingen hebben heel goed als één team samengewerkt tijdens het project om geld in te zamelen voor het planten van bomen in het Regenwoud van de Kinderen in Costa Rica. Er kunnen honderd bomen geplant worden namens de Virginia Dare school. Margaret Mead heeft eens gezegd: "Twijfel er nooit aan dat een kleine groep bezorgde mensen de wereld kan veranderen". Onze speciale dank gaat uit naar groep 5B, die geholpen heeft de wereld te verbeteren!'

Iedereen juichte en klapte.

'Boswachter Dennenbos van de stichting Parkbeheer is hier als speciale gast. De stichting heeft een cederboom geschonken aan onze school. Het is zo'n zelfde boom als de bomen die geplant zullen worden in het regenwoud. Na deze bijeenkomst zal boswachter Dennenbos de klas van meester Kokker helpen de boom aan de voorkant van onze school

te planten. Als dank heb ik voor elke leerling uit groep 5B een T-shirt en een bon
voor een gratis Regenwoudmist-ijsje bij
Mimi's IJssalon.' Mevrouw Van Hofwegen zwaaide met een envelop en
hield een van de T-shirts omhoog.
Er stond *Maak van plastic weer
bomen* op, onder een plaatje van een boom die ge-
maakt was van flessen.

De klas van Fleur
sprong op en neer en
iedereen gilde door
elkaar. Een T-
shirt met tekst!
En een bon
voor een
gratis ijsje!

De wereld redden was nog leuker dan Fleur had gedacht.

'Er is één leerling die een bijzonder goede vriend is van de hele planeet en ik wil haar graag naar voren roepen: Fleur Humeur!'

Fleur keek achterom naar meester Kokker. Hij gebaarde haar om het podium op te lopen. Fleur Humeur probeerde zo goed mogelijk tegen het felle licht in te kijken. Ze keek naar haar klasgenoten, die allemaal hadden geholpen bomen te planten om het regenwoud te redden. Ze zwaaiden met hun handen in de lucht en schreeuwden als brulapen.

Mevrouw Van Hofwegen zei: 'Normaal gesproken gaat deze prijs naar een leerling uit groep zeven, maar ik denk eigenlijk dat in dit geval groep vijf hem verdiend heeft.'

Prijs! Fleur ging rechtop staan.

'Groep 5B heeft een bijdrage geleverd die niet alleen onze school of onze stad helpt, maar ook onze planeet, onze aarde. Fleur Humeur en haar klas krijgen daarom de prijs voor het uitsteken van hun nek: de Giraffeprijs!'

De Giraffe! Fleur kon haar oren niet geloven. Zelfs niet toen ze nog een keer bedacht wat ze net gehoord had. Iedereen wilde een Giraffe zijn als hij in groep zeven zat. Zij, Fleur Humeur, was al een Giraffe in groep vijf!

Mevrouw Van Hofwegen overhandigde haar een gouden giraffe als trofee. 'Applaus voor groep 5B!'

Toen mochten alle Giraffen uit groep vijf

op het podium klimmen om hand in hand met elkaar op de foto te gaan in hun nieuwe T-shirts met flessenbomen. Fotocamera's klikten en flitsten. Een van de camera's was van Fleurs vader.

Hij stak zijn armen uit naar Fleur en gaf haar een dikke knuffel.

'Ik ben met de auto,' zei hij. 'Misschien kan ik na school helpen om de flessen naar het kringloopbedrijf te brengen.'

'Zeldzaam!' zei Fleur.

'We zijn erg trots op je, meisje,' zei haar vader. 'Op jullie allemaal.'

Fleur glimlachte. Het was niet eens de glimlach van de Siberische tijger. Het was een echte lach. Echt een lach die de tandarts graag had willen zien.

Groep 5B had samen als één team de wereld beter proberen te maken. Honderd splinternieuwe bomen zouden geplant worden, als een pleister op het regenwoud. En zij, Fleur Humeur, had een kleine rol gespeeld in het redden van de wereld.

Fleur stond midden in het ecosysteem van groep 5B. Ze hield de trofee omhoog en rekte haar nek uit, als een echte giraffe.